HAAS HEEFT EEN EIGEN APP:

kijk op www.thehouseofbooks.com/apps

Lees een verhaal over Haas en speel verschillende spelletjes met Haas en de andere dieren in het bos. Zo kun je onder andere memory spelen, stickers plakken en een dierengeluidenquiz doen!

Vormgeving omslag en binnenwerk: Gijs Sierman

ISBN 978 90 443 3233 9
NUR 287
D/2012/8899/7

www.hierishaas.nl
www.dagboekvanhaas.blogspot.com
www.annemariebon.nl
www.deillustratiestudio.nl
www.thehouseofbooks.com

Haas

ANNEMARIE BON & GERTIE JAQUET

schept een luchtje

the house of books

De hele dag heeft Haas brieven geschreven.
Hij heeft eens een lange reis gemaakt.
Toen leerde hij veel nieuwe vrienden kennen:
Pinguïn, Aap, Beer, Marmot, Vleermuis,
en nog veel meer dieren.
Nu is het tijd om een luchtje te scheppen.
Haas loopt meteen langs de brievenbus.
Dan kan Duif de post straks meenemen.

Buiten is het fris en zonnig.
Het voelt alsof het bijna lente is.
'Dag Uil,' zegt Haas tegen Uil.
En 'lekker weertje, hè?' tegen Mol.
Maar die geeft daar niet veel om.
De zon kan hem niet schelen.
Mol zit net zo lief onder de grond.
Net als Haas de brieven gepost heeft,
ziet hij een zwart-wit dier staan.
Dat dier heeft Haas nog nooit gezien.
Hij heeft een koffer
bij zich en is vast niet
van hier.
Hij staat maar wat om
zich heen te kijken.
'Dag,' zegt Haas.
'Zoek je iets?'
'Ja,' zegt het dier. 
'Ik heb een lange reis achter de rug.
Nu zoek ik een slaapplek voor de nacht.

Weet jij soms een herberg?'
Haas kijkt het dier aan.
Haas denkt terug aan zijn reis
en aan zijn verre vrienden.
Daarom nodigt hij het dier uit.
'Kom eerst bij mij eens iets eten.
Ik heb een flinke pan wortelstamp gekookt.
Je bent van harte welkom!'
Dan geeft Haas het dier een hand.
'Ik ben Haas.'
'En ik ben Stinkie,' zegt het dier.

Stinkie kijkt zijn ogen uit in het bos.
'Wat een leuke huizen hebben jullie.
En zulke mooie bomen.
Alles lijkt hier wel groen te zijn.
Waar ik vandaan kom, is de natuur veel
kaler.'
Eenmaal thuis wijst Haas Stinkie de eettafel.
'Zal ik meteen de stamppot opwarmen?'

Stinkie knikt.
'Eerlijk gezegd, rammel ik van de honger.'
Als Haas de pan op tafel zet,
zit Stinkie al klaar met zijn servet om.
Wat een keurig dier, denkt Haas.
Haas houdt de pan voor.
Stinkie schept wat op zijn bord.
Niet te veel en niet te weinig.
'Eet smakelijk,' zegt Stinkie.

Hij neemt een hap en proeft.
'Wat smaakt dat lekker,' zegt hij.
'Zoiets heb ik nog nooit gegeten.'
Haas glundert. 'Er zitten wortels in.
Die eet ik het liefst van alles.'

Na het eten wil Stinkie helpen afwassen.
Maar dat hoeft niet van Haas.
'Jij zocht een herberg, hè?' vraagt Haas.
'Nou, die is hier niet in het bos.
Maar ik weet nog wel een hut voor je.
Die staat aan de rand van het bos.
Hij is al heel lang leeg,
maar ziet er nog prima uit.'
'Dat is nog eens fijn,' zegt Stinkie.
Samen lopen ze ernaartoe.
Langs de hut stroomt een beek.
'Daar kan ik me lekker in wassen.'
'Ik hoop dat je het hier naar je zin hebt,' zegt Haas.

De volgende dag gaat Haas naar de markt.
Maar wat is dat voor herrie?
Alle dieren uit het bos staan druk te praten.
'Hij moet weg,' roept Vos.
'Wij hoeven hier geen vreemden,' zegt Raaf.
Kip knijpt in haar neus.
'Dat rook niet erg fris!'
'Zeg maar gewoon dat hij
stinkt,' zegt Das.
Zelfs Mol bemoeit zich
ermee.
'Ik rook het zelfs onder de
grond.'

Haas schrikt van de boze toon van iedereen.
Over wie hebben ze het?
Toch niet over Stinkie?

'Wat is hier aan de hand?' vraagt Haas.
En dan leggen de dieren het hem allemaal
door elkaar uit.

Er is een nieuw dier in het bos.
Een uur geleden was hij op de markt.
Hij was helemaal zwart-wit.
Hij zag er zo raar uit.
Kip had gegild toen ze hem zag.

‘En toen liet hij me toch een scheet!’ zegt Das.
‘Zoiets vies heb je nog nooit geroken.
Dat willen we echt niet in ons bos.’
‘Ik vertrouw hem niet,’ zegt Raaf.
‘Kijk eens naar jezelf, Raaf,’ zegt Haas.
‘Maar toevallig ken ik dat dier waar jullie het
over hebben.
Dat is Stinkie.’

‘Zie je wel,’ roepen de dieren.
‘Hij heet niet voor niets Stinkie.’
‘Toch heb ik niks geroken,’ zegt Haas.
‘Hij was bij mij op bezoek.’

'Bah!' roept Mol.
'Liet jij hem bij je binnen?
Mag je de ramen wel open zetten.'
Haas schudt zijn hoofd.
'Stinkie rook net zo fris als jullie.
Nog frisser zelfs.

En hij had keurige manieren.
Ik denk dat hij in zijn land een deftig dier is.'
'Maar heb je al je spullen nog wel?' vraagt Raaf.

‘Je weet maar nooit met zo’n raar beest.’
‘Foei Raaf,’ zegt Haas,
‘moet jij wat van zeggen.
Jij bent zelf degene die vaak iets pikt.’
‘Hoe kan het dat jij niks geroken hebt?’
vraagt Mol.
‘Zit je neus soms verstopt?
Ben je verkouden?’
‘Nee,’ zegt Haas.
‘Met mij is niks aan de hand.
Misschien met jullie?
Lagen er toevallig rotte eieren in je kraam,
Rat?’
Rat zet grote ogen op.
‘Rotte eieren in míjn kraam?
Hoe durf je?’
‘Hoe ik durf ?’ zegt Haas.
‘Ik snap niet dat jullie zo mopperen.
Stinkie is echt heel aardig en beleefd.’

Maar nu bemoeit Uil zich ermee.
'Ik heb een idee,' zegt ze.
'Omdat Haas zo dik bevriend is met Stinkie,
moet hij het probleem maar oplossen.'
'Ik doe niks liever,' zegt Haas.
'Ik ga eerst eens op onderzoek uit.'

Haas loopt meteen naar Stinkie.
Wat is er toch gebeurd?
Op Stinkie was echt niks aan te merken.
Haas is zo aan het piekeren,
dat hij vlak voor de hut van Stinkie struikelt.
Bam!
Haas klapt met zijn kop tegen de deur.
'Wie is daar?' klinkt het met een piepstem.
De deur gaat op een kiertje open.
Voorzichtig gluurt Stinkie naar buiten.
Er komt nog iets anders met hem mee:
een vieze schetenlucht.
Haas knijpt snel zijn neus dicht.
'Oeps, nu ruik ik het ook.'
Stinkie komt zijn hutje uit.
'Het spijt me,' zegt Stinkie.
'Ik heb dat als ik bang ben.
Dan laat ik scheetjes.
Ik kan er niks aan doen, het is de natuur.'
Haas snapt er niks van.

‘Maar je hoeft van mij toch niet bang te zijn?’
‘Ik hoorde een klap,’ zegt Stinkie.
‘Ik wist niet dat jij het was.’
‘Voor wie ben je dan wel bang?’ vraagt Haas.
Stinkie kijkt schuw om zich heen.
‘Van alle anderen.
Ze willen me hier weg.
Ze gillen naar me en doen boos.’
‘Wat is dat nu?’ zegt Haas.
‘Daar word ik boos van!’

De kop van Haas loopt rood aan.
'Nee, niet boos worden,' zegt Stinkie.
Maar het is al te laat.
Stinkie laat weer een vieze
scheet.
'Uh, ik moet even een luchtje
scheppen,' zegt Haas.
'Ik kom zo terug.'

Haas loopt een eindje het bos in.
Het is waar, die stank is heel erg.
Maar wat zei Stinkie ook alweer?
Hij laat alleen scheetjes als hij bang is.
En dan weet Haas de oplossing:
niemand moet Stinkie bang maken.
Dan is er niets aan de hand.
Haas denkt verder na.
En dan ineens heeft hij een heel goed plan.
Snel rent hij terug naar Stinkie om het hem
uit te leggen.

‘Beste vrienden,’ zegt Haas.
Hij is op een kratje gaan staan,
midden op de markt.
Zo kan iedereen hem goed horen.
‘Ik heb jullie iets beloofd.
Jullie willen dat Stinkie weggaat.
Ik wil jullie juist laten zien hoe leuk hij is.
En ik zou het probleem oplossen.
Daarom hebben Stinkie en ik iets leuks
bedacht.

Wij geven samen een picknick,
aan de rand van hct bos bij de oude hut.
Er is soep en broodjes, en taart en sap.'
Raaf begint meteen tc krassen.
'Zal wel lekker smaken die picknick.'
Vos lacht.
'Waarom denk je dat het buiten is?'
'Vrienden,' zegt Haas.

'Voor jullie nog meer gaan mopperen,
wil ik iets uitleggen over Stinkie.
Stinkie is een heel beleefd en aardig dier.
Dat heb ik al vaker gezegd.
Hij laat nooit scheetjes...'
'Poeh...'
Raaf heeft zijn snavel nog niet open gedaan,
of Haas roept: 'Stilte!'
'Hij laat alleen scheetjes als hij schrikt.
Dus doen jullie straks nou eens rustig aan.
Zeg niks lelijks tegen hem.
Laat hem niet schrikken en maak hem niet bang.
Dan kunnen jullie hem leren kennen.
Als je dat niet wilt,
ben je niet welkom op de picknick.'
Kip komt dicht bij Haas staan.
'Ik zal rustig zijn.
Ik vind het een goed plan van je.'
Ook Uil stemt in.

'Ik wil hem nog wel één kans geven.'
En zo, een voor een, doet iedereen mee.
In een lange stoet gaan ze naar Stinkie.
'Ik moet het nog zien,' krast Raaf.
'Sst,' zegt Kip.
'Niet zo flauw doen.'
'Ik stuur je weg, hoor,' zegt Uil.
'En dan krijg je geen taart.'
Ja, vanaf dan gedraagt ook Raaf zich kalm.

Al van verre zien ze het.
Bij de hut van Stinkie hangen slingers.
Er staan grote tafels vol met eten.
En in de bomen hangen belletjes.
De wind speelt daar een mooi muziekje mee.
Heel zachtjes komen ze aanlopen.
Stinkie zwaait.
Hij heeft hen gezien.
Nu kan het feest beginnen.

‘Kom aan tafel,’ nodigt Stinkie de dieren uit.
‘Haas en ik hebben samen de hele dag
gekookt.
Haas heeft sap en taart gemaakt.
Ik heb hapjes gemaakt uit mijn eigen land.’
Dat willen ze wel proeven.
Alleen Raaf schudt zijn kop.
‘Daar begin ik niet aan.
Geef mij maar taart.’
‘Dan mis je wat,’ zegt Haas,
‘want die hapjes zijn echt super.’

Het wordt een heel knus feest.
De dieren lachen en kletsen,
maar ze maken geen herrie.
Ze gillen niet en ze doen niks geks.
En zo komt het dat Stinkie geen scheetjes laat.
De dieren eten taart en broodjes.
Ze eten soep, drinken sap,
en ze spelen dier-erger-je-niet.
Het potje is net uit,
als Das ineens gilt.
'Wolf komt eraan!'
Iedereen rent weg.

De een klimt in een boom.
De ander schiet een huis in.
Alleen Stinkie blijft stokstijf staan.
Hij is verlamd van schrik.
Alleen één ding doet het nog goed bij hem…
'Prrrt' gaat het aan een stuk door.
Het duurt even voor Wolf het ruikt.
Maar dan stoot hij een kreet uit.
'Hallo zeg, wie stinkt daar zo?'
'Ik,' zegt Stinkie.
Maar Wolf hoort het al niet meer.
Die rent weg, zo hard hij kan.

Als de stank weg is, komen de dieren terug.
Ze zijn onder de indruk.
'Zo Stinkie,' zegt Kip,
'dat was een goede zet van jou.'
'Jij woont aan de rand van het bos, hè?'
vraagt Uil.
Stinkie knikt.
'Nou, dan ben jij een goede boswachter!
Wil je hier niet blijven wonen?'
Nu klapt iedereen, niet te hard...
Stinkie bloost ervan.
'Kom laten we er nog een op drinken.'

Als iedereen weer aan tafel zit,
vraagt Haas:
'Maar valt jullie niets op?'
Nee, er valt niemand iets op.
'Snuif eens diep in,' zegt Haas.
'Wat ruik je dan?'
'Een zoete geur,' zegt Kip.

‘Het lijkt op lavendel en…’
‘Dat bedoel ik,’ zegt Haas.
Van achter zijn rug haalt hij een grote bos bloemen.
‘Die heb ik net geplukt.
Bloemen ruiken lekker!’
‘Ik snap het,’ zegt Kip.
‘Stinkie blijft en wij zaaien bloemen in ons bos.’

Haas lacht.
'Niet een beetje, maar heel erg veel.'
'Maar niet aan de rand van het bos,' zegt Uil.
'Dan kan onze boswachter zijn werk niet doen.'
En dan zingen ze in koor:
'Lang leve onze boswachter!'

Zin in meer avonturen van Haas?

Lees dan ook van Annemarie Bon en Gertie Jaquet:

Het grote boek van Haas

Haas is doodgewoon Haas. Toch maakt hij allerlei avonturen mee. De ene keer is er circus in het bos, dan is er weer een marskramer. En wat is Kip lief! In dit boek vind je voorleesverhalen, knutsels, spellen en twee poppenkastverhalen.

ISBN 978 90 443 2666 6

En de groeten van Haas

Haas doet alles voor Kip. Hij waagt het zelfs om voor haar een veer van Zwaan te plukken. Zwaan besluit Haas een lesje te leren en neemt hem mee op een verre reis. Wie had ooit gedacht dat Haas zo'n reis zou maken? Haas ontdekt dat hij er groot plezier in heeft.

ISBN 978 90 443 3108 0